МАТЕРИК

Александр
ЯКОВЛЕВ
СУМЕРКИ

ИЗДАТЕЛЬСТВО «МАТЕРИК» • МОСКВА • 2003

УДК 88-94
ББК 63.3(2)
    Я47

Федеральная программа книгоиздания России

ISBN 5-85646-097-9

Предвидение

«Безбожный анархизм близок — наши дети увидят его. Интернационал распорядился, чтобы европейская революция началась в России, и начнется, ибо нет у нас надежного отпора ни в управлении, ни в обществе. Бунт начнется с атеизма и грабежа всех богатств, начнут низлагать религию, разрушать храмы и превращать их в казармы и стойла, зальют мир кровью и потом сами испугаются».

Ф.М. Достоевский

Воплощение

«Они, засучив рукава, с топором в руках рубили головы... Как скот, по списку гнали на бойню: быков столько-то, коров столько-то, овец столько-то... Если бы только народ знал, что у них с пальцев капает невинная кровь, то встречал бы их не аплодисментами, а камнями».

Маршал Г.К. Жуков

ОТ АВТОРА

В эту книгу включены, что касается конкретных фактов, страницы из двухтомника «Омут памяти». Но в ней читатель найдет новые архивные документы, более определенные выводы, связанные с прошлым и настоящим нашей жизни. Она не является мемуарами в общепринятом понимании. Я пытаюсь поразмышлять о судьбе России и ее народов в прошлом столетии и начале нынешнего, о том, почему Россия увязла в смутах, революциях и контрреволюциях, войнах и конфликтах, в кровавых репрессиях ленинско-сталинской деспотии и людской нетерпимости. Почему и сегодня грозовая туча чиновничьего авторитаризма продолжает висеть над страной.

Свои рассуждения о прошлом я рассматриваю через призму событий Мартовско-апрельской демократической революции 1985 года, ее результатов, равно как и последствий общей реформации России.

Уверен, что без осмысления духовного, экономического и политического наследия, определившего столь тяжкую судьбу России, ее боль и жертвенность, ее грехи и великие прозрения, невозможно понять ни истоки социальной болезни России, ни сегодняшние причуды жизни, связанные с демократическим выбором страны.

Россия тысячу лет страдала от нищенства и бесправия. Если чиновничья номенклатура снова, как и раньше, не задушит объявленные реформы, а Президенту Владимиру Путину хватит политической воли преодолеть сопротивление социалистической реакции, то Россия спасена, и никто не остановит ее движение к свободе и процветанию.

Но пока что продолжается медленное течение странного времени — времени выживания и надежды. А еще — равнодушия. И гадания, как на лепестках ромашки, — «задушит чиновник — не задушит». «Вчерашний раб, уставший от свободы, возропщет, требуя цепей» — эти строки Максимилиана Волошина достаточно точно отражают и сегодняшнее состояние российского общества. Господствующая и торжествующая новая номенклатура, будучи антидемократической по определению, не только формирует чувство катастрофизма, но и ловко использует их в целях усиления собственной власти. Набирающее силу отмывание прошлого, особенно злодеяний Сталина, как грязных денег, — очевидное тому доказательство.

Принудить не говорить вслух о преступлениях в прошлом, конечно, можно, равно как и купить конъюнктурных законодателей. В ответ на подобную милость они не только памятник Дзержинскому, Ягоде и Берия понаставят по всей стране, но и осанну вдохновения петь будут, а поэты не одну новую оду сочинят в честь милосерднейшего правителя всех времен и народов Иосифа Джугашвили.

От прошлого, однако, не скроешься... Мертвые все равно догонят живых и жестко потребуют нравственного покаяния. От прошлого не спрячешься, от самих себя — тоже.

И нам не обойтись без нового прочтения многих исторических явлений и событий, многотрудных и противоречивых процессов, имена которым революция, контрреволюция и эволюция, свобода и анархия. Их разнообразные переплетения с особой остротой обнажают извечные проблемы общественного бытия: соотношение целей и средств; принуждение и убеждение; разрушение и созидание; идеалы и действительность; сравнительная цена революций и эволюции; взаимоотношения народа и власти; иерархия классовой и общечеловеческой ценностной мотивации.

Наряду с общими размышлениями будут в книге и воспоминания, и характеристики событий, связанных с моей деятельностью. Я понимаю, что некоторые выводы и сущностные оценки вызовут критику моих постоянных оппонентов. Но что поделаешь?

Для себя я считаю каждую страницу о падении и разложении человека в ленинско-сталинскую эпоху моим письмом к потомкам, которых, наверное, будут терзать сомнения, ибо то, что здесь дальше написано, быть не могло в обществе людей. Мне и самому не хочется, а порой и страшновато верить, но, увы, все это было.

Исповедь — тяжкое дело, если говорить и писать правду. И неблагодарное. Особенно, когда пишешь о бедах России и ее народов с чувством любви и душевной тревоги за будущее детей твоей страны, о России, необъяснимо странной, вековечно страдающей, мучительно мятущейся, ищущей хотя бы кусочек счастья и справедливости.

Земной мой путь завершается, а потому лукавые игры с историей и зигзагами собственной жизни мне ни к чему.

Только вот не знаю, как успокоить душу свою.

ПРЕДИСЛОВИЕ
ГРИГОРИЯ БАКЛАНОВА

Не берусь определить жанр этой книги.

Мемуары? Безусловно.

Свидетельство современника и участника событий? Да.

Проницательнейшее исследование историка, основанное на документах? Да.

Исповедь? И это тоже. Но для исповеди, для покаяния нужны и мужество и честность, которых, к сожалению, не хватило и не хватает большинству наших государственных деятелей. Даже иерархи церкви святой, призывая к покаянию, не явили пока что примера. А есть и им в чем каяться, а не только обвинять.

Книга А. Н. Яковлева полна мужества и отваги. Она дышит правдой, написана добротным и образным литературным языком.

Чтение — дело добровольное, и как бы ни было значительно содержание, но если книга не интересна, ее не прочтут. Эту книгу читаешь с нарастающим интересом. Потому ли, что это и мое время, и моя жизнь? Не знаю. Однако думаю, и после нас к этой книге еще обратятся, прочтут.

Итак, по порядку. Детство автора — деревенское: «На Ярославщине есть маленькая деревушка Королево. Там я и родился... Мои родители и есть мои поводыри по жизни». Потом, спустя десятилетия, уже в годы перестройки, приедут сюда посланцы черносотенной «Памяти» разведать, а не еврей ли Яковлев, действительно ли родом из крестьян? Они-то сами родились не в деревне и не в городе, их родина — Лубянка, там их породили и на подвиги крестили.

Отечественная война. Фронт. Кто был на фронте, знает, что такое морская пехота. «Я попал в роту автоматчиков, командиром третьего взвода. Рота занималась ближней разведкой в тылу противника. Началась моя военная пора. Не знаю, что и писать о ней. Стреляли. Ползали по болотам. Пытались, иногда это удавалось, пробираться в тыл к немцам... Война как война... Привыкаешь к смерти, но не веришь, что и за тобой она ходит неотступно. Потом Бродский напишет: «Смерть — это то, что бывает с другими». Стервенеешь, дуреешь и дичаешь... Весной 1942 года стали вытаивать молодые ребята, вроде бы ничем и не тронутые, вот-вот встанут с земли, улыбнутся и заговорят... За что их убили? За какие грехи? Представил себя лежащим под снегом всю зиму. И никто обо мне ничего не знает и никогда не узнает. И никому до тебя нет никакого дела, кроме матери, которая всю жизнь будет ждать весточку от сына. Безумие войны, безумие правителей, безумие убийц! До этого случая все было как-то по-другому, мы стреляли, они стреляли, охотились на людей. В том числе и я, на передовой со снайперскими винтовками. А тут война повернулась молодым и уже мертвым лицом. Это было страшно. Думаю, что именно этот удар взорвал мою голову — с тех пор я ненавижу любую войну и убийства».

В госпитале ему, раненому, повезло. Конечно, в известном смысле. Он уже подписал согласие на то, чтобы вылущили ногу из тазобедренного сустава: гангрена. Он уже был на операционном столе, когда госпиталь посетила медицинская комиссия. «Старший стал смотреть мою историю болезни. «Сколько лет?» — спрашивает. «Девятнадцать», — отвечаю. Говорит: «Танцевать надо». И стал о чем-то шептаться с врачами. Проснувшись утром, первым делом решил взглянуть, что там осталось от ноги. Но с удивлением и, не веря глазам своим, увидел большой палец, торчащий из гипса. Палец бледный, скорее желтый, но уже не лиловый. Через какое-то время в брезентовую палатку входит оперировавший меня доктор... взялся за большой палец, подергал. «Больно?» — «Нет», — говорю. «Танцевать будешь». ...Великий для меня доктор, армянин по национальности, оказывается, он сделал мне так называемые лампасы, у меня до сих пор следы этих разрезов — большие, продольные».

И вот вернулся с войны на костылях инвалид девятнадцати лет от роду. «Вошел в закоулок родительского дома и сразу увидел маму. Она шла с ведрами из сарая, где мы держали корову и кур. И первое, что она сказала: «Что же я делать-то с тобой буду?» И заплакала. От радости, от горя, от жалости».

Ему предложили должность: заведовать кадрами на спиртзаводе. И за это, кроме зарплаты, — еще сто ведер барды в месяц (остатков зерна от производства спирта). Сто ведер барды для коровы было спасением для семьи. Еще три сестренки в семье подрастали. Но он хотел учиться. И отец из госпиталя напишет: «Как бы ни было трудно, пусть учится».

Все это было, по сути дела, началом биографии, начало долгого пути познания, которое раскроет ему то, что скрыто от глаз миллионов и миллионов. Пройдя фронт, увидев войну изнутри, он на всю жизнь возненавидел войну. Пройдя все ступени аппаратной и номенклатурной лестницы до самой ее вершины, а на каждой из площадок этой лестницы, как пишет, себя не жалея, А. Н. Яковлев, надо было хорошенько постучать хвостиком, чтобы карьерно расти. Увидев всю эту систему изнутри, он возненавидит номенклатуру, которая держала страну за горло. И найдет в себе мужество написать: «Все мы, особенно номенклатура, жили двойной, а вернее, тройной жизнью. Думали — одно, говорили — другое, делали — третье. В борьбе за химеры, не знавшей пощады, растеряли мы правду жизни и человеческое достоинство, они утонули в кровавом месиве ленинско-сталинской деспотии. Шаг за шагом аморальность прочно вошла в образ жизни, а лицемерие стало способом мышления... Я рад тому, что смог преодолеть, пусть и не полностью, все эти мерзости».

Сталин сказал в свое время: кадры решают все. Это он Ленина повторил. «Ленин как-то в порыве вдохновения сказал: «Все наши планы говно! Главное — подбор кадров!» На карьерном страхе тех, кто был ничем, строился номенклатурный фашизм, — пишет Александр Яковлев. — Только Сталин сумел в полной мере оценить эту спасительную для системы мысль, используя в течение своего тридцатилетнего правления ленинское наследие в качестве плахи для топора... Закалка номенклатуры началась еще в эпоху голода 30-х годов, порожденного сталинской коллективизацией.

Современники свидетельствуют, что около райкомов партии, где находились спецстоловые, собирались умирающие от голода крестьяне и дети, опухшие и кричащие от нестерпимого голода. В этих столовых по заниженным ценам номенклатуре продавались белый хлеб, мясо, птица. Даже обслуживающему персоналу полагался так называемый «микояновский паек», содержащий двадцать наименований продуктов». И дальше: «Вознесенная системой привилегий на уровень, немыслимый для народа, имея над этим народом неограниченную власть, новая элита после первых же репрессий начала понимать временность и ничтожность своего собственного положения, ибо в любой момент каждый — от секретаря захолустного райкома до члена Политбюро, министра или маршала, мог быть застрелен прямо в кабинете, забит сапогами в подвалах НКВД или превращен в «петуха» на каком-нибудь из бесчисленных островов ГУЛАГа. На крови и страхе создавалась система партийно-чекистской селекции».

Раб и он же — господин. А чаще всего — нравственное ничтожество. А. Н. Яковлев рассказывает, как на следующий день после свержения Хрущева и воцарения Брежнева по коридорам ЦК ходил председатель Комитета по кинематографии Романов и, пытаясь подладиться к новой власти, говорил встречным: «А вы знаете, что однажды Хрущев говном меня назвал».

Нас все еще пугает применительно к нам самим слово «фашизм». Да не может быть, говорят. Даже теперь, когда прошла серия погромов, осквернения могил, когда открыто по улицам маршируют с нарукавными повязками орды брито- и небритоголовых, вскидывают руку в фашистском приветствии, празднуют день рождения Гитлера, власть наша ко всему этому поразительно терпима. Несмышленыши шалят, сочувственно, с ласковой улыбкой изрек как-то один из видных стражей порядка.

В главе «Вы сеете фашизм...» Александр Яковлев приводит потрясающее своим мужеством и прозорливостью письмо лауреата Нобелевской премии академика Ивана Павлова. В 1934 году, когда уже полным ходом шли репрессии, он писал правительству СССР: «Вы напрасно верите в мировую революцию. Вы сеете по культурному миру не революцию, а с огромным успехом фашизм. До вашей революции фашизма не было». А в 1957 году председатель КГБ Серов на основании «оперативной техники» и донесений агентов, внедренных в окружение другого Нобелевского лауреата Льва Ландау, сообщает, что Ландау называет систему, установленную после октября 1917 года, фашистской. А руководителей государства — преступниками.

Не буду пересказывать содержание этой книги, ее надо читать. Упомяну еще только «соревнование», которое развернулось по стране в годы репрессий, когда из краев и областей запрашивали дополнительные лимиты на аресты и расстрелы, сверх того, что им было спущено сверху... «В архиве хранится записка, написанная рукой Сталина: «Дать Красноярскому краю 6600 человек «лимита» по 1-ой категории». 1-я категория — это расстрел. А на Дальний Восток выехал заместитель Ежова Фриновский, чтобы активизировать «выкорчевывание врагов народа». Он взял с собой несколько тысяч справок на «врагов народа» и поручил своим спутникам рассмотреть их. Ехали с песнями, под патефон, пили и соревновались, кто больше успеет рассмотреть этих справок. «В ряде случаев справки не читались, просто ставилась буква «Р» — это значит расстрелять. Таким образом, по дороге были рассмотрены все справки и отправлены в Москву для приведения приговоров в исполнение...

Вожди очень торопились, когда речь шла о расстрелах. К примеру, только 22 ноября 1937 года Сталин, Молотов и Жданов утвердили 12 списков на 1352 человека, а 7 декабря того же года — 13 списков на 2397 человек, из которых 2124 подлежат расстрелу... Подпись Сталина имеется на 266 списках на 44 000 человек, Молотова — на 373 списках на 20 985 человек, Кагановича — на 189 списках на 19 110 человек, Ворошилова — на 186 списках на 18 474 человека». И в годы войны, когда мы на фронте теряли в день в среднем двадцать тысяч человек, даже в годы войны эта страшная мясорубка продолжала работать: «...за время войны только военными трибуналами было осуждено 994 000 советских военнослужащих, из них свыше 157 000 — к расстрелу, то есть практически пятнадцать дивизий были расстреляны сталинской властью. Более половины приговоров приходится на 1941—1942 годы. Большинство осужденных — бойцы и командиры Красной Армии».

Я прочел и просмотрел немало мемуаров наших недавних правителей, написанных ими самими или кем-то за них. Они удивительно похожи. Читаешь и поражаешься: и вот этот умственно убогий человек занимал один из высших постов в партии, а значит — и в государстве, распоряжался судьбами миллионов. Дверь за ними закрылась, а они рвутся назад, туда, где им было тепло и сытно. Цель одна: скрыть правду, обелить себя и ошельмовать других.

Александра Николаевича Яковлева называли и называют архитектором Перестройки. Одни — с уважением, другие — с ненавистью. Ему в первую очередь обязаны мы так трудно приживающейся у нас свободой слова, без которой невозможны были бы никакие перемены в жизни. Помню, после перенесенной им хирургической операции приехал я навестить его в Барвихе. Отдельный вход, рослый охранник внизу. И вид, и взгляд охранника впечатляющие. Кстати, там и рассказал мне Александр Николаевич о посланцах «Памяти», приезжавших в его деревню разведать, не еврей ли он? Это ведь у нас одно из самых тяжких обвинений, хуже компромата не сыщешь. И Ельцин был еврей: «Эльцин», а недавно Александр Николаевич получил очередную листовку (это приводится в книге), но уже с новым ярлыком: «Жиденок Путин».

Мы вышли в парк, хотя мне подумалось, что тут не только стены, но и сосны слышат. Охранник на отдалении следовал за нами. И осталось у меня жуткое впечатление: то ли его, члена Политбюро, охраняют, то ли он уже под охраной. Именно это и случилось с Горбачевым в Форосе: его охрана и взяла его под арест.

Когда развернулась травля А. Н. Яковлева теми, кто пытался вернуть назад и время, и власть, и свои привилегии, а

Горбачев молчал, по сути дела, отдавая его на съедение разным придуркам, мы написали Горбачеву открытое письмо, которое и «Правда», главная в то время официальная газета, и «Известия» печатать отказались (письмо это есть в книге). Я тогда звонил Дмитрию Сергеевичу Лихачеву в Петербург спросить, подпишет ли он письмо, прочел текст по телефону. И Дмитрий Сергеевич сказал: «Спасибо, что вы меня не забыли».

Книга А. Н. Яковлева «Сумерки», основанная и на опыте прожитой жизни и на документах (он ведь не первое десятилетие председатель Комиссии по реабилитации жертв политических репрессий), сама сегодня — документ времени. Таким книгам суждена долгая жизнь.

Глава первая

СЛОВО
О НЕМЫСЛИМОМ

Зачем раздражать народ, вспоминать то, что уже прошло? Прошло? Что прошло? Разве может пройти то, чего мы не только не пытались искоренять и лечить, но то, что боимся назвать и по имени... Оно и не проходит, и не пройдет никогда, и не может пройти, пока мы не признаем себя больными... А этого-то мы и не делаем.

Лев Толстой

Страшные слова русского гения. Безысходные. Мы, в России, не хотим понять и признать, что нравственный долг перед жертвами палаческой власти Ульянова (Ленина) и Джугашвили (Сталина) мучителен, но и вечен. Это *наш долг, каждого из нас*. И не будет прощения ни нам, ни нашим потомкам за содеянные злодеяния, если мы не откроем наши души для покаяния, не очистим правдой нашу израненную память.

Неужто и впрямь для русского человека рабом стать легче, чем свободным? А покаяние тоже дорога к свободе.

Тому, о чем я собираюсь писать, названия нет. Невообразимые злодеяния, совершенные правителями страны под громкие аплодисменты толпы, неистово и агрессивно мечутся в душе, в уголочке которой приютилась придушенная совесть, противоречивая и с трудом открывающая глаза, еще коллективизированная и смирившаяся с рабством.

...Дети-заложники. Закон о расстрелах детей с двенадцати лет, а на практике — и грудных. Система концентрационных лагерей, населенных миллионами человеческих тел. Расстрелы без суда и следствия. Социалистические соревнования в ОГПУ — НКВД — КГБ по «истреблению врагов народа». Приговоры по телеграфу. «Великие стройки коммунизма» на костях заключенных. Каторга. Пыточные в Лефортове и на Лубянке, официально введенные по решению безумного руководства страны. Массовые репрессии как средство удержания власти. Бесконечные войны — гражданская, мировая и «холодная». Десятки малых войн — с Финляндией, Японией, Китаем, Польшей, Украиной, в Закавказье и Средней Азии, с Венгрией, Чехословакией, Афганистаном, а теперь в Чечне. Всеобщее обнищание и позорная отсталость. Моральная деградация и бесконечная усталость человека.

Через организованную Лениным гражданскую войну уничтожена армия страны, лучшие умы государства высланы за рубеж пароходами, которые не без грустного юмора назвали «философскими», через возвращение крепостного права в деревню ликвидировано крестьянство, через индустриализацию создана безропотная масса полуголодных обитателей коммунальных квартир с вылущенной моралью, поскольку, согласно бредням Ленина, мораль является буржуазным предрассудком, если не служит делу революции.

Разграбленная церковь. Вурдалаки топили в прорубях священников, делали из них ледяные столбы — так, для забавы. Многие великие книги сожжены. Списки по сожжению утверждала сама Крупская, которая приходилась женой Ленину. Последний унаследовал российскую империю, убив на всякий случай царя Николая и всех его домочадцев, включая детей. Заявив о создании «подлинной демократии», которую большевики назвали социалистической, они первым делом уничтожили все партии — крестьянские, социалистические, буржуазные, демократические, центристские, равно как и всю оппозиционную печать.

Вспоминаю старую притчу: пессимисты все время ищут в мусоре времени трагедию, а оптимисты — комедию. Нет, не для нас эта притча. Нет! Нашему народу, оказавшемуся в глубокой пропасти, еще долго придется выползать на свет Божий, чтобы земная твердь смилостивилась над нами, а покаяние за греховное бунтарство и нетерпимость усмирило нас и принесло успокоение в наши дуроломно-мятежные души. Не собираюсь углубляться и в горькую тему: «Кто виноват?». Для меня этот вопрос после прочтения тысяч и тысяч документов по убиению людей в принципе раздет до его страшной прокаженной наготы.

Не надо прятать голову в песок — это мы беспощадно, позабыв о чести и совести, ожесточенно боремся, не жалея ни желчи, ни чернил, ни ярлыков, ни оскорблений, не страшась ни Бога, ни черта, лишь бы растоптать ближнего, размазать его по земле, как грязь, а еще лучше — убить. Это мы травили и расстреливали себе подобных, доносили на соседей и сослуживцев, разоблачали идеологических «нечестивцев» на партийных и прочих собраниях, в газетах и журналах, в фильмах и на подмостках театров. И разве не нас ставили на колени на разных собраниях для клятв верности и раскаяния, что называлось критикой и самокритикой, то есть всеобщим и организованным доносительством. Виноваты мы сами! Но ощущаю вокруг себя ошеломляющее равнодушие к тому, что произошло в России. Возможно, неосознанный стыд за сотворенное и страх перед ответственностью за содеянное понуждают людей сооружать из себя чучело презренной гордыни. Одним словом, тяжелые и мрачные сумерки окутали Россию на многие десятилетия.

Слава Богу, еще живы мои соратники-современники, которые швырнули свое сердце и душу на гранитную стену деспотии. И сказали они тем молодым, что пошли за ними: дышите свободой и поклянитесь именем уничтоженных нами же предков, что свобода — это навсегда.

Но, увы, уже нет с нами великих провозвестников свободы, мужества и честности — Александра Адамовича, Виктора Астафьева, Артема Боровика, Дмитрия Волкогонова, Виталия Гольданского, Олега Ефремова, Льва Копелева, Дмитрия Лихачева, Юрия Никулина, Булата Окуджавы, Льва Разгона, Владимира Савельева, Андрея Сахарова, Иннокентия Смоктуновского, Анатолия Собчака, Галины Старовойтовой, Святослава Федорова, Станислава Шаталина.

Святые имена!

И знали ли эти романтики — дети XX съезда 1956 года и Мартовско-апрельской демократической революции 1985 года, что многие их наследники быстрехонько рассядутся за кабинетными столами и будут всеми ногтями и когтями цепляться за вожделенные кресла, дабы не сползти с них под хмурым взглядом Вечного Начальника.

Вспоминая перестроечные дела и события, я спрашиваю себя: зачем тебе все это было нужно? Ты член Политбюро, секретарь ЦК, власти — хоть отбавляй, всюду красуются твои портреты, их даже носят по улицам и площадям во время праздников. Я даже не помню, что чувствовал, когда, стоя на трибуне Мавзолея, смотрел на колонны людей, смеющихся, ликующих, на лозунги и плакаты, зовущие на труд и подвиги во имя «родной партии». Сказать, что торжествовал или радовался, пожалуй, не могу. Но и резкого нравственного отторжения не было. Однако смутные чувства двусмысленности, неправды бродили по уголкам сознания. Любоваться с трибуны на собственный портрет было как-то неловко, но то, что на тебя смотрят тысячи людей, предположительно, добрыми глазами, вызывало чувства горделивого удовлетворения. Слаб человек. Кстати, я не один раз пытался как-то сформулировать свои трибунные чувства, но ничего путного, хотя бы для себя, не получалось.

В борьбе за химеры, не знавшей пощады, потеряли мы правду и достоинство, они утонули в крови. Шаг за шагом подобная аморальность прочно вошла в образ жизни, демагогия стала способом мышления. А это значит, что многие годы мы предавали самих себя. Сомневались и возмущались про себя, выискивая всяческие оправдания происходящему вокруг, чтобы как-то обмануть ворчливую, но и податливую совесть.

Я рад тому, что смог преодолеть, пусть и не полностью, все эти мерзости. Переплыл мутную реку соблазнов власти и выбрался на спасительный берег свободы. Не дал оглушить себя медными трубами восторгов. Презрел вонючие плевки политической шпаны. Я не хотел дальше пилить опилки и жевать слова, ставшие вязкими и прилипчивыми, как смола, или пустыми и трескучими, как гнилые орехи. Непонятным образом вернулась романтика, утихомирив пучину душевных страстей. Из-под карьерных завалов выбирались на свет Божий мучительные раздумья о порядочности, справедливости, совести, наконец. Не хотел я дальше обманывать самого себя, лгать самому себе. Я добровольно ушел от власти, не променяв ее на собственность или доходное место.

Задаю себе и другой вопрос: а повторил бы ты все это? Не знаю. Наверное, да. Скорее, да!

Совсем недавно я с писателем Анатолием Приставкиным после Парада Победы шел по Красной площади. Мы говорили о той страшной войне, о 30 миллионах наших соотечественников, не вернувшихся к родным очагам, и тех миллионах, которые погибли в гитлеровских и сталинских лагерях. Говорили и о том, что праздничные парады — это горькое и бесполезное лечение от незаживающих ран.

Из толпы вынырнула девица. Обращаясь ко мне, изрекла, сверля глазками:

— А вы разве еще не в тюрьме?

И юркнула обратно.

Как-то к зданию Международного фонда «Демократия» подошел небольшого росточка человечек и спросил:

— Правда, что здесь Яковлев командует?

— Да, он президент Фонда.

— А разве его еще не повесили?

У дверей своей квартиры я трижды обнаруживал похоронные венки. Христолюбивый народец, однако. И все же в который раз говорю себе: «Несмотря на все сомнения и огорчения, ты выбрал верный путь покаяния — борьбу за свободу человека».

Да, я тот самый Яковлев, о котором столько сказок сочинено, что и самому перечесть в тягость. И физически, и нравственно. Тот самый, о котором сталинисты, а также некоторые бывшие номенклатурные «вожди» говорят и пишут, что именно я чуть ли не главный виновник распада Советского Союза, коммунистической партии, КГБ, армии, мирового коммунистического движения, социалистического лагеря и всего остального. Пишут, что я, будучи демоном Горбачева, гипнотическим путем внушил ему франкмасонские идеи и ценности.

Даже врагу своему не пожелал бы испытать чувства, когда тебя грозятся расстрелять, повесить, посадить в тюрьму, объявляют «врагом народа» и агентом западных спецслужб, поливают грязью в газетах и журналах, когда стреляют в сына в электричке и сжигают машину дочери, а документы об этом случае «загадочно» исчезают из милиции. Дошло до того, что известный антисемит, руководитель общества «Память» Васильев подал на меня в суд за «оскорбление его чести и достоинства», когда я сказал лишь малую толику того, что знаю о нем как о фашистском экземпляре.

Нет, не страх преследовал и угнетал меня, нет, далеко не это дьявольское наваждение. Свою норму по страху я почти исчерпал еще во время войны 1941—1945 годов прошлого столетия. Я опасался другого: чтобы грязная волна злобы, клеветы, оскорблений не придавила меня, не опустошила душу мою. Я хорошо знал, что русская дубина размашиста, безжалостна, безрассудна. Бьет больно, покряхтывая от удовольствия. Нетерпимость — эта леденящая пурга до сих пор заметает дороги к разуму.

Как же медленно свобода счищает наросты на наших душах! Слава Богу, было и такое, что спасало меня в самые тяжелые минуты. Это поддержка моих соратников. Некоторые их письма я публикую в этой книге. От моих друзей пошли комплиментарные определения — «идеолог Перестройки», «отец гласности», да еще «белая ворона». И «кукловодом Горбачева» называли. А Вячеслав Костиков в своей книге по-дружески нарек меня «русским Дэн Сяопином». Однажды получил коллективное письмо с Урала, в котором авторы предлагают мне статус «отца-основателя» свободной России. А газета «Версты» назвала меня «апостолом совести».

Не буду оправдываться за броские эпитеты моих единомышленников. Они как бы компенсировали ярлыки в мой адрес другого рода — «жидомасон», «предатель», «перевертыш», «преступник» и прочие.

Моих судей — хоть отбавляй. Всяких и разных. Злых и корыстных, позеров и хитрецов, безнравственных и блаженных, политических спекулянтов и карьеристов. А главное — людей, потерявших власть. В этом вся суть. Особей, которым неведомо чувство пристойности, всегда было у нас достаточно много, да еще скоморохов, забавляющихся судьбами народа. Одним словом, пошляков.

Это не жалоба. Отнюдь нет. Видимо, судьба. В России путь реформ никогда не был в почете. Нам подавай бунт, революцию да врагов побольше, чтоб кровавой потехи было вдоволь. А вот реформа — дело нудное, неблагодарное, требует терпения, думать надо. Славы никакой. Другое дело — все разрушить до основания под разбойничий свист и улюлюканье толпы, а потом строить заново, плача, надрываясь и... содрогаясь от содеянного.

И стоит ли удивляться, что прошлое продолжает терроризировать нашу жизнь сегодня. Это логичное, хотя и мерзопакостное явление. *И сегодня приходится вести борьбу, по крайней мере, на три фронта — с наследием тоталитаризма, с нынешней диктатурой чиновничества и с собственным раболепием.*

И все же, размышляя о Реформации России, практическое начало которой положил 1985 год, спрашиваю себя: а что все-таки произошло по большому счету и кто были те люди, что взяли на свои плечи тяжкое бремя реформ?

Демонстрация свободы социального выбора или злоумышленный развал соцсистемы и Советского Союза? Смелое реформаторство или катастрофически провальный эксперимент? Подвижники, а возможно, и жертвы сорвавшихся с цепи общественных процессов или предатели, обманувшие партию, страну, народ, даже сознательные «агенты влияния» ЦРУ, «Моссада» и Бог знает кого еще? Нерешительные политики, щепки, которые понесла стихия по горной реке реформ, честолюбцы без воли и цели или Макиавелли перемен, политические стратеги, поскользнувшиеся на «арбузных корочках» исторического коварства?

Я начинаю свои размышления со столыпинских времен. Почему? Тогда, в первые годы XX столетия, в России забрезжил свет надежды. Зашумела Россия машинами, тучными полями, словом свободным. Перед страной открылась реальная перспектива совершить мощный бросок к процветанию. Эта возможность была связана, в основном, с именами премьер-министров царской России Сергея Витте и Петра Столыпина. Полезно вспомнить размышления Столыпина о необходимости российской *Перестройки* на государственном уровне. В своих речах он активно оперировал такими либеральными понятиями, как «правовое государство», «гражданские свободы», «неприкосновенность личности», «самоуправление», и многими другими.

Очередная попытка догнать время провалилась. Русская община погубила реформы. Россия вновь увязла в нерешенных проблемах. Они легли на плечи Февральской революции. И снова неудача. Размышляя об этой революции, я пытаюсь ответить на вопросы, почему ее демократический порыв оказался столь кратковременным, почему демократический потенциал революции мало кто увидел и оценил, а всерьез никто и не защищал? Может быть, не хватило ума и опыта у демократов времен Февраля? Или же демократия пала под напором люмпенства? Или же просто не было объективной основы для демократии?

В своих размышлениях я высказываю свою точку зрения на события октября 1917 года и характер советского государства. Уже второй десяток лет я председательствую в общественной Комиссии по реабилитации жертв политических репрессий. Прочитал тысячи документов и свидетельств, пропустив через свой разум и чувства тысячи и тысячи человеческих судеб. Я узнал о трагедии моего народа, может быть, столько, сколько не знает никто. А потому считаю своим долгом проинформировать об этом российское общество. Общество, значительная часть которого пока не испытывает христианской потребности в покаянии.

После смерти Сталина птенцы его гнезда явно задергались. Они понимали, что повторить злодеяния, которые творил диктатор, для них дело непосильное. А потому поставили себе задачу отгородиться от сталинских репрессий, которые как бы ушли в могилу вместе с тираном. С 1954 году начали работу Центральная и республиканские комиссии по пересмотру дел осужденных «за политические преступления». Были выпущены на волю некоторые заключенные, в основном родственники и близкие знакомые руководителей партии и правительства.

Но принципиальное отношение к массовым репрессиям не изменилось. Даже в тех случаях, когда принимались положительные решения, речь шла не о реабилитации, а только об амнистии. Разного рода разъяснения на этот счет носили блудливый характер: широкое распространение получила практика переквалификации политических статей в хозяйственные, должностные, бытовые. Соответствующим комиссиям по пересмотру дел было велено закончить эту работу к 1 октября 1956 года. Попроще да побыстрее, а работе этой и до сих пор не видно конца.

Одно время комиссию по реабилитации возглавлял Молотов. Более кощунственного решения не придумаешь. Принципиальным вопросом для политики того времени было решение не пересматривать приговоры по делам Бухарина, Рыкова, Зиновьева, Тухачевского и других лиц из высшего эшелона власти. Хрущев в одной из предварительных диктовок к докладу на XX съезде КПСС сказал: «Противников генеральной линии партии надо было сурово осудить: дать 10—15—20 лет, но не расстреливать, надо было им сохранить жизнь».

После XX съезда реабилитация пошла активнее, но и тогда партийная номенклатура продолжала гнуть свою линию. В начале 60-х годов, после прихода к власти Брежнева, реабилитация свертывается. Она возобновилась только во время Перестройки. В 1987 году, 28 сентября, состоялось решение Политбюро «Об образовании Комиссии Политбюро ЦК КПСС по дополнительному изучению материалов, связанных с репрессиями, имевшими место в период 30—40-х и начала 50-х годов» в составе Соломенцева М. С. (председатель), Чебрикова В. М., Яковлева А. Н., Демичева П. Н., Лукьянова А. И., Разумовского Г. П., Болдина В. И., Смирнова Г. Л. Через год, 11 октября 1988 года, состоялось решение Политбюро об изменениях в составе Комиссии. Я был утвержден ее председателем. Дополнительно в состав Комиссии включили Медведева В. А. — члена Политбюро, Пуго Б. К. — Председателя КПК при ЦК КПСС, Крючкова В. А. — нового председателя КГБ СССР. Как видит читатель из названия постановления, даже в 1987 году, когда политическая обстановка менялась к лучшему, Политбюро не захотело трогать ленинский период репрессий.

С 1987 по 1991 год удалось вернуть честное имя всем, кто проходил по делам: «Союз марксистов-ленинцев», «Московский центр», «Антисоветский объединенный троцкистско-зиновьевский центр», «Параллельный антисоветский троцкистский центр», «Антисоветский правотроцкистский блок», «Антисоветская правотроцкистская организация» в Красной Армии, «Ленинградское дело», «Еврейский антифашистский комитет», «Султан-галиевская контрреволюционная организация», «Всесоюзный троцкистский центр», «Союзное бюро ЦК РСДРП(м)», «Ленинградская контрреволюционная зиновьевская группа», «Ленинградский центр», «Бухаринская школа», «Рыковская школа». И многим другим.

Заседания Комиссии далеко не всегда были безоблачными. Нередко возникали острые споры. Особенно бдительными в оценках деятельности собственного ведомства были работники КГБ. И все же атмосфера времени благоприятствовала принципиальным решениям. Но случались и непримиримые разногласия, например в отношении убийства Кирова. Записка по этому вопросу обсуждалась несколько раз, но согласия так и не было достигнуто. Я как председатель Комиссии отказался подписать подготовленный текст, с которым были согласны другие члены Комиссии. История эта крайне запутана и противоречива. Она требует дополнительного расследования. Свою точку зрения на убийство Кирова в 1934 году я подробно изложил в статье в газете «Правда» от 28 января 1991 года.

Августовский мятеж 1991 года прервал процесс реабилитации. Осенью 1992 года я обратился к Президенту Ельцину с предложением о возобновлении реабилитации жертв политических репрессий — теперь уже в России. Просьба была поддержана. 2 декабря 1992 года Президент издал Указ «Об образовании Комиссии при Президенте Российской Федерации по реабилитации жертв политических репрессий». Наконец-то Комиссия получила свободу действий на весь период советской власти. Надо сказать, что Борис Николаевич последовательно и постоянно поддерживал работу Комиссии, хорошо понимал эту проблему для российского общества.

Реабилитация жертв политических репрессий стала главным делом моей жизни. Когда спускаешься шаг за шагом в подземелье по кровавой лестнице длиною в семьдесят лет, то вся труха из веры в коммунистическое всеобщее счастье улетучивается, как дым на ветру. Обнажаются догола вся подлость, трусость и злобность людская, беспредельная преступность режима и садизм ее вождей.

И пришел к глубокому убеждению, что октябрьский переворот является контрреволюцией, положившей начало созданию уголовного деспотического государства российско-азиатского типа.

Дать точное определение характера российской государственности, сложившейся после октябрьского переворота, очень трудно. Исторически власть впитала в себя психологию княжеских уделов и дворянских гнезд, тяготение к Европе и азиатское влияние, военизированное сознание и крепостничество — всего понемногу.

Общественной мысли еще долго придется изучать весь комплекс образующих факторов — политических, экономических, нравственных, пространственных, которые имели решающее или опосредованное влияние на характер власти и народа, на его обычаи, привычки и культуру в целом, на его свободомыслие, равно как и на истоки рабской психологии.

Радикальные представители интеллигенции не возлагали особых надежд на революционные действия масс по причине их извечной покорности. Но эта же посылка подвигнула российских радикалов к идее об использовании «покорного равнодушия» народа для переворота через индивидуальный террор. Надо уничтожить верхушку правителей, и массы спокойно примут новую власть. Так рассуждал российский якобинец Ткачев в своем журнале «Набат». Другой предшественник большевиков Нечаев создал тайное общество «Народная расправа». В книжке «Катехизис революционера» он призывал к «повсеместному разрушению» и разрыву с устоями цивилизованного мира. Разбойничий мир в России он считал единственной революционной силой.

В эти же годы в Россию импортировали марксизм с его идеями насилия, насильственных революций, диктатуры пролетариата, классовой борьбы, агрессивного атеизма, отрицания гражданского общества и частной собственности. Русские социалисты-радикалы, воспитанные на идеях Ткачева, Нечаева, Бакунина и народовольцев, сумели соединить идею индивидуального террора с марксистскими проповедями насилия как условия победы пролетарской революции. Корень беды в том, что помощнику присяжного поверенного Ульянову, получившему известность под кличкой Ленин, удалось создать профессиональную группу боевиков, «партию баррикады», «захвата власти». Он ловко использовал модные идеи конца XIX века — идеи революционаризма Каляева, Ткачева, народовольцев, анархистов, сумел приспособить их к своим целям. Ленинская группировка, на словах осудив индивидуальный террор, взяла на вооружение политику «массовидности террора» — так ее сформулировал Ленин.

Инструкции Ленина по террористической деятельности весьма обстоятельны и определенны.

«Отряды, — писал он, — должны вооружаться сами, кто чем может (ружье, револьвер, бомба, нож, кастет, палка, тряпка с керосином для поджога, веревка или веревочная лестница, лопата для стройки баррикад, пироксилиновая шашка, колючая проволока, гвозди (против кавалерии) и пр. и т. д.)... Убийство шпионов, полицейских, жандармов, взрывы полицейских участков, освобождение арестованных, отнятие правительственных денежных средств для обращения их на нужды восстания, — такие операции уже ведутся везде, где разгорается восстание, и в Польше и на Кавказе...»

Меня часто спрашивают, когда произошел ощутимый перелом в моем сознании, когда я начал пересматривать свои взгляды на марксизм-ленинизм и советскую социалистическую практику? Первые тревожные колокольчики зазвенели еще в войну, которую я ненавижу всей душой и всем моим сознанием, ибо она убила миллионы мальчишек — моих сверстников, а я остался до конца дней своих инвалидом. Но сомнения — лишь одна часть формирования взглядов. Только проштудировав заново первоисточники «вероучителей», я понял (в основных измерениях) всю пустоту и нежизненность марксизма-ленинизма, его корневую противоречивость и демагогичность, его античеловечность.

Мы привыкли к объединенной формуле «марксизм-ленинизм». Но в ней нет единого содержания. Такого единого учения нет, хотя лексика весьма схожа. Марксизм — одна из западных культурологических концепций позапрошлого века, каких было немало. Ленинизм — политологическая платформа, сконструированная из разных концепций, как возникших в России, так и импортированных из-за рубежа. На основе этой мешанины возникло новое учение — *большевизм — идеологическое, политическое и практическое орудие власти экстремистского толка.*

Российский большевизм по многим своим идеям и проявлениям явился прародителем европейского фашизма. Я обращаю на это внимание только потому, что мои первые сомнения и душевные ознобы были связаны вовсе не с марксизмом-ленинизмом, которого я еще не знал, а с советской практикой общественного устройства. И большевизм, и фашизм руководствовались одним и тем же принципом управления государством — принципом массового насилия.

Впрочем, я отвергаю для себя роль какого-то обвинителя Маркса. Каждому времени свойственны свои горизонты интеллекта и знаний. Ученый может ошибаться. Более того, он обязательно в чем-то ошибается, и даже его ошибки становятся порой тем плодородным слоем, который стимулирует развитие нового знания. В то же время ученый в большей мере, чем его другие современники, пленник догм и заблуждений своего времени, поскольку он — заложник инструментов познания: интеллектуальных, методологических, практических. Ученый неизбежно что-то преувеличивает или преуменьшает, идеализирует или абсолютизирует.

Все это так, и упреки едва ли правомерны в отношении тех, кто честно ищет истину, кто постоянно сомневается в собственных заключениях, кто, проверяя их снова и снова, решительно отбрасывает концепции, не оправдавшие себя в жизни.

Иное дело, когда свои открытия ученый начинает считать откровением, а себя — мессией. Так произошло и с основоположниками марксизма. Будучи апологетами утопий, марксисты напрочь проигнорировали простейшее правило: можно — и нужно — рубить лес, выкорчевывать пни под будущую ниву, но при этом, однако, лес рубят не потому, что он плох, но потому, что необходимо место для другого, чего-то более важного. И не весь лес, а сколько надо, например, для пахоты. Но даже на расчищенном месте не уничтожают ту плодородную почву, на которой только и может что-то вырасти. Если срыть этот слой, не будет ни прежнего леса, ни нового урожая. Не будет и того опыта прилежного земледельца, который позволит его потомкам выращивать хлеб, восстанавливать леса и добиваться всего того, что делает человечество бессмертным.

Кроме всего прочего, меня меньше всего интересовал марксизм сам по себе. Предметом моего особого интереса был вопрос, почему именно на марксову утопию пошла наша страна и что из этого получилось? А получилось то, что на основе политического монополизма и идеологической мифологии была сформирована военно-бюрократическая диктатура, оторгнувшая человека от собственности и власти. Объявив мировую революцию своей целью, большевики противопоставили себя всему миру. Превращение марксизма в партийно-государственную идеологию придало ему инквизиторские функции, сделало орудием мобилизации в целях борьбы, покорения и властвования.

Большевистская система показала свою некомпетентность и античеловечность во всех областях жизни. В результате Россия во многом потеряла XX век.

К таким, повторяю, невеселым выводам пришел я после внимательного чтения трудов домарксистских авторов, самих Маркса и Энгельса, публицистики Ленина. В результате мой марксистско-ленинский домик, сооруженный из банальностей: социалистический гуманизм, социалистическая демократия, социалистическая справедливость, партия — ум, честь и совесть эпохи — и прочего словоблудия, рухнул.

Как я уже упомянул, с самого начала Ленин замышлял партию как своеобразную секту с железной дисциплиной «бойцов». Главная ее особенность — это жесточайшая централизация. Образовалась секта Вождя. Ее политические цели на самом деле были целями Вождя. Уже при подготовке II съезда партии (1903 г.) организационный комитет, состоявший в основном из сторонников Ленина, проводил строгую селекцию представителей местных организаций. Сохранилось много документов на этот счет. Они поучительны. Тех, кто проявлял хоть малейшую самостоятельность, на съезд не допускали. Так случилось с Воронежским комитетом РСДРП, который осмелился заявить, что оргкомитет съезда работает по принципу «кумовства», взял на себя роль «искоренителя ересей», «опричника социал-демократии». В заявлении воронежцев говорилось, что охота за ересью привела «Искру» (газета Ленина) к применению излюбленного средства всех охранителей — к плётке. Правда, не ременной, а моральной, вместо проволочных наконечников на ней привешены ярлыки — экономизм, эклектизм, оппортунизм. Если кто осмелится свое суждение иметь — сейчас плётка. В заявлении подчеркивалось, что подобная деятельность ведет к олигархическому управлению партией.

Воронежцы оказались провидцами.

Сразу же после октябрьской контрреволюции он переименовал социал-демократическую партию в коммунистическую и ликвидировал все партии социалистического направления вместе с их газетами и журналами. Ничего неожиданного в этом нет. Еще 23 июля 1914 года Ленин открыто заявил: «С сегодняшнего дня я перестаю быть социал-демократом и становлюсь коммунистом». С тех пор и началась активная коммунизация партии, а потом и советского общества.

Да и в личном поведении лицемерия у будущего «вождя» было столько, сколько хватило бы на всю партию. Его современники говорили о такой пагубной черте в характере этого политика, как отсутствие стыда. Всего один пример. Как известно, Ленин без устали клеймил кровавый царский режим, ужасающие условия, в которых жили политзаключенные и ссыльные. Надежда Крупская оставила весьма любопытные воспоминания о проживании этой пары в ссылке, в сибирском селе Шушенское.

«Владимир Ильич за свое «жалование» — восьмирублевое пособие — имел чистую комнату, кормежку, стирку и чинку белья — и то считалось, что дорого платит. Правда, обед и ужин были простоваты — одну неделю для Владимира Ильича убивали барана, которым кормили его изо дня в день пока всего не съест; как съест — покупали на неделю мяса, работница рубила купленное мясо на котлеты для Владимира Ильича, тоже на целую неделю. Но молока и шанег было вдоволь и для Владимира Ильича, и для его собаки... Мы перебрались вскоре на другую квартиру, полдома с огородом наняли за четыре рубля. Зажили семейно... Владимир Ильич был страстным охотником, завел себе штаны из чертовой кожи и в какие только болота не залезал. Ну, дичи там было. В апреле 1899 г. он получил от матери охотничье ружье, по поводу которого пишет, успокаивая мать: «Насчет ружья ты опасаешься совсем напрасно. Я уже привык к нему и осторожность соблюдаю». Он просит семью прислать ряд предметов. Зимой Ленин катался на коньках. «Вспомнил старину», — пишет он матери и сестре».

Сегодня мои рассуждения о Ленине могут выглядеть как расхожие и даже банальные: слишком очевидны преступления, совершенные им и его экстремистской группировкой. Нередко его характеризуют как «властолюбивого маньяка». Возможно, и так. Но в любом случае этот деятель является ярчайшим представителем теории и практики государственного террора XX столетия. Именно он возвел террор в принцип и практику осуществления власти. Массовые расстрелы и пытки, заложничество, концлагеря, в том числе детские, высылки, внесудебные репрессии, военная оккупация тех или других территорий России в целях подавления народных восстаний — все эти злодеяния начали свою пляску сразу же после октябрьского переворота. Вешать крестьян, душить газами непокорных — все это могло совершать только ненасытное на кровь чудовище, с яростной одержимостью порушившее нашу Родину. Он считал народ России всего лишь хворостом для костра мировой революции, а саму революцию — лишь формой перманентной гражданской войны.

Иными словами, вдохновителем и организатором массового террора в России выступил Владимир Ульянов-Ленин, вечно подлежащий суду за преступления против человечности.

История режима Сталина в основном и главном вряд ли таит в себе возможность принципиально новых открытий, разве что из области психиатрии. Мои друзья частенько задаются вопросом, почему и зачем Сталин уничтожил миллионы невинных людей? Лично я не могу ответить на него. Кроме ненависти к людям и жажды власти, есть во всем этом нечто мистическое, непостижимое, дьявольское, садистское.

О злодеяниях Сталина я расскажу дальше. Но сейчас хочу упомянуть о следующем. В свое время много писалось о неописуемой скромности и храбрости «вождя». Приведу вставку в биографию, сочиненную собственноручно Сталиным о самом себе. У меня есть копия рукописи этих фраз:

«В этой борьбе с маловерами и капитулянтами, Троцкистами и Зиновьевцами, Бухариными и Каменевыми окончательно сложилось после выхода Ленина из строя то руководящее ядро нашей партии в составе Сталина, Молотова, Калинина, Ворошилова, Куйбышева, Фрунзе, Дзержинского, Кагановича, Орджоникидзе, Кирова, Ярославского, Микояна, Андреева, Шверника, Жданова, Шкирятова и других, — которое отстояло великое знамя Ленина, сплотило партию вокруг заветов Ленина и вывело советский народ на широкую дорогу индустриализации страны и коллективизации сель-

ского хозяйства. *Руководителем этого ядра и ведущей силой партии и государства был тов. Сталин.*

Мастерски выполняя задачи вождя партии и народа и имея полную поддержку всего советского народа, Сталин, однако, не допускал в своей деятельности и тени самомнения, зазнайства, самолюбования. В своем интервью немецкому писателю Людвигу, где он отмечает великую роль гениального Ленина в деле преобразования нашей Родины, Сталин просто заявляет о себе: «Что касается меня, то я только ученик Ленина, и моя цель — быть достойным его учеником».

Если же обратиться к вознесенной до небес храбрости «вождя» (побеги из ссылок, грабежи банков и т. д.), то сошлюсь на воспоминания его ближайшего соратника Анастаса Микояна. Сталин был не из храброго десятка, рассказывает он в своих мемуарах. На фронте не был ни разу. Но однажды, *«когда немцы уже отступили от Москвы, поехал на машине, бронированном «паккарде», по Минскому шоссе, поскольку... мин там не было... Не доехал до фронта, может быть, около пятидесяти или семидесяти километров... Такой трус оказался, что опозорился на глазах у генералов, офицеров и солдат охраны. Захотел по большой нужде (может, тоже от страха? — не знаю) и спросил, не может ли быть заминирована местность в кустах возле дороги? Конечно, никто не захотел давать такой гарантии. Тогда Верховный Главнокомандующий на глазах у всех спустил брюки и сделал свое дело прямо на асфальте. На этом знакомство с фронтом было завершено, и он уехал обратно в Москву».*

Уголовному началу удалось надолго занять решающее место в управлении государством после октябрьской контрреволюции. Удалось во многом потому, что, воодушевленные идеей классового стравливания, идеологи российской смуты и российского общественного раскола сделали ставку на хижины и их обитателей, постоянно льстя им, что именно они являются сердцем и разумом человечества, новыми хозяевами жизни. Генетическая линия уголовщины и безнравственности власти и толпы тянется из глубины российских веков, но только большевизм возвел ее в ранг определяющей позиции своего режима.

Наши классики любили свой народ, но «странною любовью». У Пушкина народ безмолвствует. У Достоевского — богохульничает и шизеет, у Толстого зверствует на войне и лжет в миру, у Чехова — валяется в грязи и хнычет, у Есенина — тоскует, у Горького — перековывается в революционной борьбе, затем в ГУЛАГе, у Булгакова — «шариковствует», пытаясь вылюдиться, у Шолохова — самоедствует и бандитствует, у Солженицына — рабствует, у Венедикта Ерофеева — алкашничает, пьет денатуратный коктейль под названием «слеза комсомолки», зато закусывает «трансцендентально». Раньше всех об этом сказал Пушкин: «На всех стихиях человек // Тиран, предатель или узник».

Ленинизм-сталинизм блестяще использовал психологию людей социального дна.

Известно, что человекоистребление — самое древнее греховное ремесло. XX век вытворил *демоцид* — истребление целых народов. Создал специальную отрасль индустрии — демоцидную, конвейерно-безостановочную. В Освенциме — за принадлежность к «неполноценным расам», в тюрьмах и лагерях ГУЛАГа — за «классовую неполноценность». Трудно синтезировать в одно понятие социальный каннибализм, каинство, геростратство, иудин грех в своем законченном развитии.

Организатором злодеяний и разрушения России после Ленина является Иосиф Джугашвили-Сталин, вечно подлежащий суду за преступления против человечности.

Из ямы с человеческими судьбами, выкопанной нами же собственноручно, надо было выбираться. Перемены все громче стучались в дверь, пожар приближался, огонь быстро бежал по сухой траве. Лично мне становилось все более ясным, что ни одиночные, ни групповые выступления, ни диссидентское движение, несмотря на его благородные мотивы и личную жертвенность, не смогут всерьез поколебать устои сложившейся системы.

По моему глубокому убеждению, оставался, кроме гражданской войны, единственный путь перехватить кризис до наступления его острой, быть может, кровавой стадии — это путь эволюционного слома тоталитаризма через тоталитарную партию с использованием ее принципов централизма и дисциплины, но в то же время опираясь на ее протестно-реформаторское крыло. Мне только так виделась историческая возможность вывести Россию из тупика.

Парадокс? Выходит, да.

Обстановка диктовала лукавство. Приходилось о чем-то умалчивать, изворачиваться, но добиваться при этом целей, которые в «чистой» борьбе, скорее всего, закончились бы тюрьмой, лагерем, смертью, вечной славой или вечным проклятием. Конечно, нравственный конфликт здесь очевиден, но, увы, так было. Надо же кому-то и в огне побывать, и дерьмом умыться. Без этого в России реформы не проходят.

В результате нам, реформаторам перестроечной волны, многое удалось сделать. Свобода слова и творчества, парламентаризм и появление новых партий, окончание «холодной войны», изменение религиозной политики, прекращение политических преследований и государственного антисемитизма, возобновление реабилитации жертв репрессий, удаление из Конституции шестой статьи — о руководящей роли партии — все это свершилось в удивительно короткий срок — во время революции — Перестройки 1985—1991 годов. Это были сущностные реформы, определившие переход к новому общественному строю на советском и постсоветском пространстве. Даже военно-большевистские мятежи в 1991 и 1993 годах не смогли изменить ход событий.

Содеянным надо гордиться, а не слюни распускать, да слезы по дряблым щекам размазывать. Свершив великое дело, пусть и с ошибками, аморально отрекаться от него, да еще прислонившись к толпе кликуш. Грешно сваливать ошибки на кого-то, а успехи воровато совать в собственный карман. Это привычно и легко, но вульгарно.

Да, у нас далеко не все получилось, далеко не все. Начать с того, что все мы, стоявшие у истоков Реформации и в меру сил пытавшиеся ее осуществить, были не богами, а обыкновенными людьми. Как принято говорить, «продуктами своего времени». Правящая группа, то есть члены Политбюро тех лет, кстати, все без исключения голосовавшие за Перестройку, материально не бедствовали. Дачи, охрана, повара, курорты, да и почестей хватало — аплодисменты, портреты, а самое главное — власть. Безграничная, практически бесконтрольная и неподсудная. Живи себе и работай.

В этой связи будет к месту сказать несколько слов и о лидере Перестройки, о чем много разговоров. В условиях тоталитарной власти от лидера страны зависит почти все. Ленин и Сталин занимались, в основном, трупопроизводством. Лидер может кормить людей обещаниями, сказками о коммунистической скатерти-самобранке, как это делал Хрущев. Плыть по течению, как это делали Брежнев и Черненко. Снимать с постов увязших в коррупции министров, вызывая восторг толпы, как это случилось при Андропове. Новый лидер мог, закусив удила и обезумев, рвануть и по-петровски, и по-сталински.

На этот раз был избран верный курс — на демократизацию общественной жизни. Об основных параметрах будущего общества мы с Михаилом Сергеевичем говорили еще до

Перестройки, но в общем плане. О гражданском обществе и правовом государстве — в полный голос, о социальной политике — весьма активно, ибо речь шла о необходимости значительного повышения жизненного уровня тех, кто трудится, и одновременно — о борьбе с уравниловкой, иждивенчеством. О рыночной экономике — осторожно.

Но путь реформ сверху имеет не только преимущества, но и свои ухабы. Так говорит история. Так случилось и у нас. Реформы в рамках партийной легитимности получались явно двусмысленными. Оболочка социалистическая, а начинка по своей сути — демократическая. Опоры реформ разъезжались в стороны, словно ноги на мокрой глине.

В ельцинский период все это странным образом трансформировалось. Государственная оболочка закрепилась, в известной мере, как демократическая, а вот практическая власть на местах сформировалась как чиновничье-бюрократическая, как некая модификация старой командно-административной системы. Я ее называю *бюрократурой, то есть диктатурой чиновничества.*

При Борисе Ельцине КПСС была отодвинута от единоличной власти, однако на ее место пришел Чиновник, всевластие которого сегодня достигло чудовищных размеров, всевластие антидемократическое. *Старая и новая бюрократия быстро нашли общий язык, ловко приладились к демократическим процедурам, используя их как прикрытие для экономического террора против народа, о чем мечтал еще Ленин.*

Поскольку при Горбачеве связка старой и новой номенклатуры не была разорвана, то постепенно обстановка стала меняться не в пользу преобразований. Лидер растерялся, Шеварднадзе и я ушли в отставку. Горбачев окружил себя людьми карьеристского пошиба, без чести, слабыми рассудком, потерял нити управления. Руководство КГБ целенаправленно кормило его враньем о массовой поддержке политики главы государства. А глава государства как бы лечил этим враньем свою растерянность.

И вот результат. Еще заседало Политбюро, но мало кто хотел знать, чем оно занимается. Правительство принимало решения, которыми никто не интересовался. В больших городах шумели митинги. Крик над страной стоял невообразимый. Огромный корабль все быстрее и быстрее несло на острые скалы. В течение 1991 года я не один раз публично предупреждал о том, что социалистическая реакция готовит переворот. Говорил об этом и с Михаилом Сергеевичем. Однажды он сказал мне: «Ты, Александр, переоцениваешь их ум и храбрость».

То, что Михаил Горбачев по непонятным до сих пор причинам не принял превентивных мер против заговорщиков, — самый крупный просчет Президента СССР, трагический просчет.

Через несколько дней после событий 19—21 августа деятельность КПСС и РКП была запрещена, партийное имущество национализировано, их банковские счета арестованы, организаторы мятежа отправлены в тюрьму. Но Борис Ельцин не довел до конца ни запрещение компартии, ни наказание преступников.

Это самая серьезная ошибка, однако, теперь уже Президента России. И тоже трагическая. Борис Ельцин проморгал и другой опасный процесс, когда старая номенклатура плавно перетекла в новые структуры власти, еще раз подтвердив свою непотопляемость.

Сегодня недобитый авторитаризм получил возможность продолжить свою подрывную работу в самых разных формах. Воистину история безжалостна — она бьет копытом по черепам дураков. Едва получив интеллектуальную свободу, мы опять загоняем себя в шоры нового догматизма, так и не попытавшись понять по-настоящему, что же с нами произошло.

Давайте спросим себя. Разве это инопланетяне сеют ненависть на нашей земле? Разве не звучат призывы к расправам, к суду и преданию смерти тех, кто открыто говорит об опасности неофашизма? Разве не в нашей стране выходят десятки большевистско-фашистских газет, пропагандирующих насилие? Разве не у нас многие судьи и прокуроры, верно служившие бесправию, оклемавшись от шока августа 1991 года, активно помогают ползучей реставрации? Разве...

Меня часто спрашивают, доволен ли я происходящим и соответствует ли ход нынешних реформ первоначальным замыслам Перестройки. Очень хочется ответить «да», но из головы, словно чертик из табакерки, выскакивает красный сигнал, гласящий: «Не торопись с оценками! Рано!»

В голову лезут всякие размышления о последствиях Реформации, о просчетах — былых и нынешних. То, что демократия и гласность обнажат преступность большевистского режима, для меня было очевидным. Но то, что при этом выплеснется на поверхность жизни вся мерзость дна, в голову не приходило. Всеобщее воровство, бандитизм, взяточничество, терроризм, наркотики и многое другое обрели характер обыденности. Новая номенклатура оказалась гораздо жаднее старой. Разгул преступности, сросшейся с властью. Снова лжем и паясничаем. Проводим балаганные выборы. Подробно обо всем этом я пишу дальше, в контексте конкретных событий. Здесь, пожалуй, осталось сказать только о том, что я называю личной исповедью.

Начал я свою деятельность в высшем эшелоне власти с принципиально ошибочной оценки исторической ситуации. Во мне еще жила какая-то надежда в возможность сделать нечто разумное в рамках социалистического устройства. Лелеял миф, что Его Величество Здравый Смысл возьмет, в конечном счете, верх над немыслием и неразумием, что все зло идет от дурости и корысти номенклатуры.

Отсюда и возникла концепция «обновления» социализма. Мы, реформаторы 1985 года, пытались разрушить большевистскую церковь во имя истинной религии и истинного Иисуса, еще не осознавая, что и религия обновления была ложной, а наш Иисус фальшивым. На поверку оказалось, что никакого социализма в Советском Союзе не существовало, а была власть вульгарной деспотической диктатуры. А наши попытки выдать замуж за доброго молодца старую подрумяненную шлюху сегодня выглядят просто смешными.

Что это? Вера в фатализм справедливости? Романтизм? Неумение анализировать? Информационная нищета? Инерция сознания? Что-то еще? Не знаю.

Защитники большевизма говорят, что не все было так уж плохо и при Сталине. Надо, мол, видеть и хорошие стороны жизни. Конечно, надо. Но при чем тут Сталин? Всегда была и пребудет вечно живая жизнь. Она цвела и буйствовала даже на вечной мерзлоте сталинизма, ее не раздавили ни льды страшных репрессий, ни духота официального мономыслия и моноверы. Исследуя трагический ленинско-сталинский период жизни, я вовсе не хочу сказать, что все было во мраке, что ничего не было светлого. Вспомним, хотя бы, великую поэзию Есенина, Блока, Ахматовой, Маяковского, Пастернака, Мандельштама, гениальных ученых в области физиологии, физики, генетики, кибернетики, языкознания, изумительные по своей доброте фильмы и песни — все это останется золотой страницей в летописи мировой цивилизации. Режим с первых дней уничтожал интеллект России, но варварство в отношении науки, искусства, литературы не смогло одержать безусловной победы. Генетический запас интеллекта оказался гораздо прочнее и жизнеспособнее, чем оргия насилия.

Десятки миллионов людей прожили в этой системе всю свою жизнь: учились, работали, воспитывали детей, страдали и радовались. Им трудно примириться с мыслью, что жизнь пролетела как бы напрасно, зазря. Конечно, трудно. Но это удел всех уходящих поколений. Когда жизнь проходит, на душе становится особенно тоскливо. Молодость остается в памяти прекрасной — до слез и щемящей боли в сердце. Все кругом солнечно, полно счастья, любви и надежд. Уходящее поколение можно и нужно понять.

И вот здесь — безграничный простор для личных раздумий, сомнений, самоедства и покаяния. Говорят, что стыд глаза не ест. Неправда! Еще как ест! Если ты такой совестливый, говорю я самому себе, то как ты допустил, что реформы, в которых ты активно участвовал, в конечном счете, хотя и без твоего участия, привели к новому обнищанию народа. Мне ненавистны продолжающаяся люмпенизация общества, коррупция, наглая самоуверенность многих из тех, кому ты объективно помог прийти к власти и богатству. Наворовались вдоволь и расползлись по личным дворцам, построенным на деньги нищих. Не все, конечно.

На склоне лет я все чаще, как политик, продолжаю упрекать себя в том, что сделал далеко не все, что мог и на что надеялся в своих мечтах. Еще задолго до Перестройки, мечтая о будущем страны, я рисовал в своей голове разного рода картины — одна красивее другой. Я был убежден, что стоит только вернуть народу России свободу, как он проснется и возвысится, начнет обустраивать свою жизнь так, как ему потребно. Все это оказалось блаженной романтикой. В жизни все получилось во многом по-другому.

Все это и многое другое постоянно душит меня вопросом: а правильно ли ты поступил, приняв участие в том, что перевернуло Россию, но обрекло ее на новые страдания на пути к свободе? Не имеет особого значения, что к деформациям преобразований ты непричастен, поскольку еще до мятежа 1991 года Горбачев отодвинул тебя от власти, что у него появилась другая команда, которая предала его, предала идеи Перестройки, демократической революции-эволюции, пошла на преступный мятеж, создав тем самым чрезвычайные условия, породившие хаос в экономике и в политике.

«Мужество выше скорбного терпения, ибо мужество, пусть оно окажется побежденным, предвидит эту возможность». Это слова великого Гегеля. Так уж получилось со многими из нас: мы предпочли скорбное терпение мужеству. Мужеству совершать поступки. В одно время Михаил Сергеевич, видимо, по доносам КГБ, заподозрил меня в том, что я «затеял свою игру». Увы, нет. А надо было! На самом-то деле я сам снимал свою кандидатуру с голосований на посты президента страны, председателя Президиума Верховного Совета, Председателя компартии, его заместителя, члена Политбюро. Возможно, и не избрали бы меня на все эти посты, а я со своим обостренным самолюбием боялся именно этого. Но проверить-то политическую температуру надо было. Мне не достало мужества уйти с XXVIII съезда КПСС, чтобы организовать партию, отвечающую требованиям времени. Теперь, на старости лет, я понимаю, что совершил ошибку. Надо было нести свой крест до конца. Тут я не вижу для себя оправданий.

Как быстро и как медленно течет время. Тяжелое время, но если собьемся с пути — это будет трагедией для нашего народа, для всего мира, взаимозависимого, но все еще не осознавшего полностью своего единства, еще не готового к новой информационной эпохе, к глобализации всемирной жизни. Сегодня всех нас тревожит многое, очень многое... И все-таки 1956, 1985, 1991, 1993 годы состоялись. Их не отменишь. Михаил Горбачев и Борис Ельцин уже на пенсии. У власти новый президент — Владимир Путин.

То, что произошло в Советском Союзе, было продиктовано ходом истории, осуждать которую, как известно, достаточно пошлое занятие. Но, вдохнув глоток свободы, многие из нас с ужасом обнаружили, что свободы для мудрости оказалось куда меньше, чем свободы для глупости. Что свобода необузданных страстей и безответственных действий заявила о себе куда громче, нежели свобода благоразумия. Иными словами, свобода так и не стала ведущим стержнем образа жизни, не обрела статуса национальной идеи.

И все же постепенно нарождается и новое племя — поколение созидателей с либеральными взглядами. И хочется верить, что оно выведет страну на главную магистраль прогресса, имя которой *социальный либерализм*.